KB195943

기다리는 시간은 아직 어리고

기다리는 시간은 아직 어리고

김기리 시집

문학들

시인의 말

여기에 묶은 시편들은
내 한살이의
자전적인 이야기 모음이다

'서쪽의 나이'가 되어 보니
우주만물이 다 피붙이 살붙이요
불이不二임을 알겠다

여든다섯 번의 봄은 이미
가랑잎

이제부터다
여생餘生이 아니라 본생本生을 살 것이다
건달바乾達婆가 될 것이다

2021년 늦가을에

김기리

차례

5   시인의 말

제1부 저울

11   사이

12   서쪽의 나이

14   나무언어 학원

16   물웅덩이 앞에서 놀았다

18   나무 조문

20   저울

22   타악기를 연주하는 저녁

24   접힌 생각

26   마당

28   두꺼비집

30   새 그림자와 놀기

32   원앙을 꺼내 놓다

34   수밀도水蜜桃

36   길의 나이 – 풍경 독서

38   중심

제2부 그 여자전傳

43   노안도蘆雁圖

44   그 여자전傳

46   숫자의 화석

48   첫서리

50   짧은 길

52   종부 – 장꼬방

54   편린

56   보리차 끓는 시간

58   기다리는 시간은 아직 어리고

60   두꺼비가 들어오는 저녁

62   오백나한

65   오래 묵은 일기장엔 아직, 네가 살고 – 층층시하

68   침모 영철이 할머니

72   손끝의 눈

74   나는 고향이다

제3부 길

79   발밑이 불편하다

80   매미

82   사랑니

84   종이 한 장

86   아픈 돌

88   흰 개 이야기

90   물의 문

92   선풍기

94   노송老松 노승老僧

96   고목나무 백목련

98   잃어버린 날씨

100   말

102   입추 무렵

104   오리는 헤엄친다

106   영정

108   푸릇한 얼굴

110   문패

112   길

114   **해설** 남은 길은 짧아도 내 마음만은 _ 이승하

제1부 저울

사이

우리는 모두 사이를 산다.
나이는 어떤 사이를 묶은 것

꽃 피는 나무에서 다시
꽃 피는 나무까지 묶인 한 해

곱구나, 아주 곱구나.

이 말을 몇 번 되뇌인 것 같은데
그 시이 또 고운 꽃 피고
그 사이 또 꽃나무들은 늙고

너는 어디까지 갈래?

서쪽의 나이

서쪽의 나이에서는 가랑잎 소리가 난다.
손으로 꼽아 보면
손끝이 시려 오는 저녁이 있다.
짚가리 냄새가 나고 검불 연기를 좋아하는 나이
서쪽의 나이에는 시린 등이 있다.
돌아앉아 있는 외면하는 방향이 있다.

서쪽의 나이를 서성이다 보면
발등이 시려 오고
환했던 겨울마다 흰 서리가 내린다.
은일자라 불리는 국화가 제철이다.
봄꽃은 놀이를 가야 제 맛이지만
방문만 열면 볼 수 있는 국화는
서쪽 나이에 이르러
가꾸기 가장 좋은 꽃

동쪽의 나이들이 찾아들고
북쪽 나이로 두서너 걸음 들어섰음에도

12

남녘 나이 이끌고 동쪽이나
서쪽의 나이로 살고 싶은 것이다

고독의 문패를 내다 거는 북쪽 나이
폐일언蔽一言하고

동서남북 네 갈래 나이를 한데 버무려 시루에 담아 푹
쪄서 절구통에 부어 놓고 떡메로 탕탕 쳐서 반질반질 예쁘
게 빨주노초파남보 무지개로 세모 네모 동그라미로 재미
있고 기쁘고 행복한 띡으로 지혜롭게 빚어서 먹고 싶은 날

피안의 담장 밑에
국화가 시들고 있다.

나무언어 학원

초록의 어린 학생들 사이로 나무언어 교실이 있다.
바람을 문자로 읽는 소리가 서로 엉키고 있다.

나도 나무를 가르치는 숲속 교실 하나 만들고 싶어진다.
바람을 선생님으로 모시고
칠판은 그늘에게 부탁하고
틈만 보이면 후다닥 뛰어드는 햇빛을
연필로 삼기로 한다.
계절은 필수 과목.

봄철에는 까르르 웃는 꽃들 연둣빛 속닥거림으로, 짙푸
른 냄새로 몸살 앓는 여름에는 시원한 그늘을, 가을에는
꽃 떠난 자리에 올망졸망 열매들, 겨울에는 목화솜처럼
목화솜처럼 폭신한 문법 시간.

이곳에서 바람은 유명 강사다.
언뜻언뜻 비치는 연필은 닳지도 않는다.
그늘 칠판에 숙제를 적어 놓고

잠잠한 바람 선생

남의 둥지에 몰래 알 낳아 놓고 행여 남 될까 밤낮으로
외쳐 대는 어미 뻐꾸기 목청도, 또르르 굴러가는 방울새
노랫소리, 풀벌레들 소곤거림까지 알기 쉽게 적는다.

혼자서도 잘하는 숲속 학생들
숲속 교실에는 방학이 없다.
한 치의 오차도 없이 찾아오는 계절학과 시간
시원한 나무언어 학원
나도 한 그루 나무가 되어 수강 신청을 하고 말았다.

물웅덩이 앞에서 놀았다

건장맛비 잠시 그친 뒤
산책길에서 고인 물웅덩이와 만났다.
움푹 패어 상처 난 길 저쪽 공사 중
나무 팻말이 무표정하게 서 있었다.
나는 고인 물웅덩이를 들여다보았다.
웅덩이 속 한쪽에는 산 그림자들이 어느새 들어와 있고
어디서 자주 본 듯한 꽤나 낯이
익은 여인의 모습도 보였다.
숨을 고르고 찬찬히 들여다보니 물웅덩이 속 여인은
백발이 성성한 노인이었다.
나는 반가워 웅덩이 물속 노인과 한참을 이야기하며 놀
았다.
통성명도 하고 하소연도 하고 구구절절 어쩌면 이리도
나와 똑같은 삶을 살고 있을까
참으로 놀라운 일이었다.

나는 오래전 아카시아 꽃이 풍겨 주는 야들한 순백의
향내 속에서 신식 결혼식을 치렀다고, 그 향내는 지금도 코끝을 맴돈다고, 때는 오월 중순이었다고, 많은 식솔과 수시로 들고나는 대소가 권속들과 위로는 어르신들 아래로는 집안 대소사를 챙기는 집사들 틈에서 조심을 머리에 이고 어찌 그리도 시간은 무겁던지 어서 빨리 늙어 버리길 원하였다고, 그러나 오늘 문득, 웅덩이 고인 물속에서 보았지. 하늘 한 자락 산 한 귀퉁이 소금쟁이 몇 마리 겨우 백발의 친구 하나 가지고 있었다고 행여 작은 흙탕물 일어 모두 잃을까 전전긍긍하고 있다고,

  그러다 쭈그린 다리가 저려와 우춤거리며 일어섰더니
  물웅덩이 속 노인도 무슨 바쁜 일이 있었는지
  어느새 물웅덩이 밖의 다른 어디론가 사라져 버렸지
  맑은 날 며칠만 지나면 잠깐 사이 사라질 물웅덩이 속의 것들,
  생이란 비 내리는 며칠
  임시 웅덩이 물속에 머물다 가는 것인지
  밟으면 첨벙 내 발목까지 적셔 놓을 젖은 날 지나
  말라 가는 며칠이 평생과 같다.

나무 조문

나와 친했던 두 그루의 나무가 잘렸다는 소식을 듣고
조문弔問을 다녀왔다.

가서 나무의 모양으로 설리설리 울다 왔다.
방풍의 목적으로 사귄 오랜 친구
너는 오른쪽 바람을 막았고
나는 너의 왼쪽 그늘의 씨를 받았었다.
귀찮게 계절을 묻곤 했었다
나무 두 그루를 유년으로 들고 나던 시절엔
함께 늙어가자고 했었다.

나는 흔들리는 모양으로 나무의 조문을 받을 줄 알았다.
허나, 오늘 너에게 조문을 와서
무릎 꿇은 모양으로 울고 간다.
온 힘으로 너를 쓰다듬으니 너
잘린 몸통 속으로 바람의 관棺이 들어 있구나.

내 신맛을 너의 입으로 진저리 치던 날들

떫은맛, 쓴맛까지도 너 알겠다는 듯 너는 나의
위안풍慰安風이었지.
서로의 관棺이 되자고 했었지.

회한이 통증이 푸른 피범벅이,
애끊는 속울음은 이미 시들어 있었다.

멀고 먼 서양 어느 작은 나라에서 최초로
우리 집에 시집온 너의 이름은 메타세쿼이아이니라.
이제는 기억으로 씨를 삼고 깊고 너른 동공에 너를 심고
흔들리는 연한 빛 바람을 넣어 주마
후생의 연聯이 꼭 사람에게만 있겠는가.
근조謹弔.

저울

저울에는 바르르 떠는 중심이 있다는 거지
반듯이 이쪽과 저쪽이 있어야만
제 몫을 다 한다는 거지
이생에는 업으로 부르는 이름과
침묵해야 할 이름들이 중심에 모여들어
바르르 떨고 있을 거라는 거지
어제는 별생각 없이 우쭐거렸으나
오늘은 그냥 그저 기우뚱대는 것,
하나도 이상할 것이 없다는 거지
어느 쪽이든 제값은 없기 때문일 거라는 거지
이럴 때는 덜어내거나
더 올려놓는 쪽이 있기 마련이지
저울 속에는 항상 제값이 들어 있다는 거지
자꾸만 어느 한쪽으로
기울고만 있는 내 나이들도
이제야 비로소 제값을 하고 있는 중일 거라는 거지
기우는 쪽의 나이가
덜어낼 것도 더할 것도 없는

중심일 거라는 거지
바르르 떠는 중심으로 모여들고 있다는 거지

저울추는 항상 중심에서 떨고 있다는 거지
저울 위에 떡 버티고 있던 아픈 덩어리들 끌어모아
되는대로 달아보고 있다는 거지
한 덤벙이 더 올렸다 한 덤벙이 덜어내기를
반복하고 있다는 거지
쉼 없이 위쪽으로 기울어만 가는 어렴풋한 나이테
내려놓을 것도 올려놓을 것도 없는 밋밋한
기울기라는 거지
제값의 중심도 삭혀 버린다는 거지
힘없는 떨림이 바르르 떨고 있다는 거지

타악기를 연주하는 저녁

누구라도 타악기 하나쯤은
연주하는 능력이 있지만
나도 잘 모르는 연주법이 있었고
더구나 이 독주는 오래되었다
그릇끼리 부딪히는 달그락 소리들
젓가락 숟가락 소리들
아무 말도 안 하고 밥을 먹다 보면 어느새
내가 타악기를 연주하고 있다는 생각이 드는 것이다
까끌까끌한 입맛
텔레비전 소리가 액자들이 방 안의 물고기들이
모두가 관객이 된다
연주는 매번 적막하고 호젓하다

대식구를 거느리던 시절, 그때는 날마다 합주로 붐볐었
다. 종종걸음은 버선발 바닥을 후끈거리게 했고 부엌 찬
마루는 연일 숨 돌릴 사이도 없이 식재료가 끼니마다 바
뀌었고 먹을거리 다지는 도마 소리는 난타였다. 흘러내린
치마꼬리는 불이 붙을 지경이었다.

윗방 안방 사랑방 끝엣방 공부방 찬방 이 방 저 방, 모든 방이 끼니때면 전부 연주홀이 되었다 협주곡 이중주 삼중주 사중주 독주 협연이 있었다.

그렇다 할지라도 후식의 다과 시간은 조금은 느슨하고 여유로운 칸타빌레였고 마침내 연주하던 악기들을 깨끗이 씻어 주고 정갈한 살강은 차곡차곡 수납을 하였다. 쓸쓸한 끼니 법석거리던 끼니 그때 그 세 끼니 모두는 협연이었거나 독주였거나 오케스트라 연주였다.

마법에 걸렸던 것 같은 생경한 장면들
부풀어 올라 터질 것 같은 세상, 솟을대문 빗장을
지금은 멍한 눈길로 되짚고 있는 것이다.

접힌 생각

책을 읽다가 페이지를
접어 놓는 버릇이 내겐 있다.
다음에 빨리 찾기 위함의 표식으로.
생각도 그렇다.
하루에도 수십 번 생각을 하다가
생각들을 접고 싶을 때가 있다.
하지만 아무리 접으려 해도 생각을 접는 표식은 없다.

습관처럼 읽던 책의 책장을 넘기다 보면
접힌 페이지가 탁, 펼쳐지듯
때로는 내 세월 뒤로 넘어간 스산함이
생각 속으로 차오를 때가 있다.

풋 각시 시절 빼곡하게 써 내렸던 가슴 저림들이 살고
있는 기억 저편의 공책 한 권이 내겐 있다는 것이다. 순서
도 페이지도 아랑곳 않고 무작정 튀어나와 천방지축 시간
의 파편들이 접혀지지도 표식도 없이 얼키설키 엉켜 있는
것이다.

완독한 책은 책장을 접어 두거나
더 이상 표식이 필요치 않다.
다 읽고 난 일들이 가득 들어찬
접혀지지도 표식조차도 할 수 없는 생각의 책
꽂아 둘 큰 서고라도 하나 있었으면 좋겠다.

마당

꽃 떨어진 마당을 쓸면
마당은 온통 잔주름이 진다.

꽃으로 얼굴을 살았던 적 있다
그 얼굴에서 꽃 다 치우고 나면
자잘한 주름이 저절로 만들어진다.

싸리 빗자루는 속 썩인 묶음인 것일까
세월의 속성이 속을 썩이는 것이라면
싸리 빗자루는 그러니까
세월인 것이지.

먼지와 꽃잎들이 모여드는 봄날의 마당
지난가을 앙상한 잔가지들, 묶어 쓸다 보면
지난 시간의 궤적들이 어느새
보일락 말락 뒤를 덮으면
사르르 덮여 오지.

환하고 눈이 시린 꽃들의 마당
모서리 찌그러지고 살점 떨어져 나간
물기 푸석한 마당
어설픈 마당 여럿이
점령군처럼 진을 치고 있는 것인지
영문 모르게 소식 끊어 버린 몇 년이
마당 가운데 허우적대며 내려앉는 것인지
쓸어도 쌓이는 주름투성이 마당.

지지리도 못난 쌩한 주름 켜켜이
한가득 꽃 피우고 꽃 지우고
도란거림이 밀려드는 마당.

두꺼비집

우리 집에는 언제부터 두꺼비가 산다.
느릿느릿 쉬지 않고 움직이는 두꺼비가 있다.
날 좋은 오전이면 두꺼비는 마당을 서성거리거나
텃밭 주위를 돌다 들어가곤 한다.
매일을 빙빙 도는 것이 일상이다.

가끔 검침원 들르듯 피붙이들이 들렀다 가는 날이면
저 두꺼비 집 과부하에 걸리곤 한다.

가끔 환한 불 켜고 싶으면
찾아와 쉬었다 가는 법으로 맺어진 가까운 친척이 있다
그 모녀가 초가을에 왔다 간 적 있다.
그때도 두꺼비는 집 주위를 쉬지 않고
느릿하게 빙글빙글 돌고만 있었다.

느려도 너무 느린 행적으로 몇십 년은 걸어온 길
몇 번 퓨즈가 나간 적도 있는 두꺼비 집

문이 안으로 잠긴 가을 여러 날
문 안이 궁금하여 들여다보면
느릿느릿 두꺼비는 여전히 돌고 있었다.

언제부터인지 나도 두꺼비의 등에 올라타고
느릿느릿 집을 도는 중이다.

새 그림자와 놀기

적합한 마당 귀퉁이를 골라
새 한 마리 높은 장대 위에 잡아다가 놓았다.
우선, 번잡하게 울지 않아서 좋고
깃털 날리지 않아서 더 좋았다.

아침 해가 뜨면
검게 깃털 색깔 바꾸는 새
점심나절에는 마당 중간까지
날아와 앉아 있다가
저녁때가 되면 마당
저 끝까지 날아가 있다.
다가가도 날아가지 않고
손끝으로 움켜쥐어도 깃털 느낌이 없다.

공중의 몸과 지상의 몸이
함께 붙어 있는 검은 새
한밤이면 공중의 나무 몸통으로
들어가 있는 건지

어떤 절대자에게로 날아가고 있는 건지
밝은 날만 고르고 있다.

나는 날마다 마당의 새 그림자와 논다.
새하고 이처럼 편하게 놀 수 있는 사람은
나 말고는 아마도 없을 것 같다.
내 몸에는 검은 새가 여러 마리 들어 있다.
나는 가끔
나를 잊어버리고 있다.

원앙을 꺼내 놓다

누가 작고 아담한 호수 하나를 그려 놓았나.
물빛이 심심해할까 싶어 수시로 접혔다 펴지는 파문 무
늬도
물 안과 밖을 구분하여 작은 기슭도
물에도 색깔이 있다는 듯 홍련과 백련 몇 송이도
그 꽃 오래 떠 있기 고단할까 싶어
푸른 방석 같은 연잎도 그려 놓았나.

원앙 한 쌍, 아직 물감도 마르지 않았는지
고개를 외로 꼬고 물 위에서 물에 비친 심사를 들여다
보는
한 마리 원앙 쪽으로 호수가 기우뚱 기울어져 있다.
누군가 다가가면 물 밖 공중을 날다 다시 내려앉는
짠한 마음 한 자락 그려져 있다.
물 밑에 비치는 원앙의 그림자
제 그림자에 속은 독한 사랑이
그 자리를 지키고 있는 것같이.

그림 밖의 아이들이 돌을 던지면
일렁이며 일그러지는 파문 사이로 날아가는 원앙
그 파문 잠잠해지면 다시 나타나는 물속의 원앙
탁한 물감이라도 풀어
저 맑은 수면 지우고 싶은 풍경

나는 물 밑의 원앙을 몰래 꺼내 와
얼른 화선지로 옮겨 다독거렸다.
푸르른 물결 위 두 마리 원앙은 그대로 내버려 두고
연꽃 그늘에 검은 먹색을 좀 더 입혀 놓고 돌아왔다.
물속의 원앙을 꺼내놓았다.

.

수밀도 水蜜桃

막 깨어난 단잠 끝에 햇볕이 모여든다.
일렁거리는 바람에 풀들이 핀다.
복숭아 익는 소리가 밭에 가득하다.
수밀도의 본업은 물을 가두어 두는 것이라는 듯
얇은 껍질에도 물 넘쳐흐르지 않는다.
색깔 몇은 크게 다르지 않고
미, 황, 백 모두 도桃에 기대어 있는 색깔들이다.

수밀도는 얇은 껍질을 닫고 안과 밖을 만들고 있어
단 한 번도 물이 새지 않는 둥근 물통인 것이다.
아기를 안고 있는 엄마 젖가슴 같기도 하다.
가끔 까치가 그 물통에 구멍을 내지만
콸콸 물 쏟아진 적 한 번도 없다.

불그족족한 껍질은 까칠한 분 바르고 있는
사춘기 아이 같다.
초여름 어느 젊은 날이 어렴풋하다.
내 이웃하던 풋풋한 나이의 절친이 찾아오고

마침 수밀도 철이라 정성을 벗겨
예쁜 그릇에 담아 권하였더니
그냥 웃음만 들었다 놨다 먹지를 않았다.
시어른 드릴 것을 두근두근 덜어 내어 대접하였는데
너무 서운하였다.
세상에는 복숭아를 먹지 않는 종교도 있었다.

꽃의 요염은 애꿎은 눈길에 머물러 있고
그 꽃도 눈을 떠난 한참 뒤
물 한 바가지 열렸다고.
옳지! 열매는 꽃의 맛이구나.

길의 나이
– 풍경 독서

환호성 치는 봄 색을 핑계로
색안경도 쓰지 않은 채 길에 올라섰다

나는 몇몇 계절 동안 원행을 하였고
먼 거리의 차창 밖을 내다보았고
가끔 길옆의 나무들을 헤아려 보았다
그중 몇 그루는 졸음으로 놓치고
더불어 삶 속에서도 몇 개의 봄을 놓쳤을 것이다

달리는 길 위 화르르 환하게 꽃을 피워 놓고 있는
나무들을 헤아려 봤더니 한 오십여 그루쯤
그러니까 오고 갔을 계절 동안
꽃을 피운 나이가 오십여 년쯤일 것이고
이쪽 길의 종착지와
저쪽 길의 종착지 사이의 나이가
오십 대 중반은 되어 있을 것이다

웃는 듯 연분홍 봄으로 꽃이 피고

푸른 잎의 여름으로 시원한 그늘을 드리우고
새하얀 눈으로 휘감아 다소곳이 서 있는
이 길의 나이를 나도 먹고 싶은 것이다

까무룩 잠들었다 문득 깨어 보면 어느새
길의 도착 지점에 와 있는 것이고
나는 그동안 빠르게 지나가는 풍경 독서를 하고 있었던
것이다
차창 밖의 공부였다
그래도 저녁나절을 달려 놀아가야 할 길이 남아 있고
돌아가는 길 끝자락에는
아련한 남녘이 기다리고 있는 것이다
계절마다 나무가 다 다르고
꽃이 질러대는 환호성도 제각각 다 다른 소리였다

중심

내게 있던 중심은
다 어디로 갔을까
왜 자꾸 비틀거리던 것들만
내 몸에 깃들고 싶어 할까
그 수많던 얼음 신발은
유독 내 발에만 신겨 있는 걸까

바람 부는 날의
한 그루 나무라 여기자
신나게 몸을 흔들며
춤을 추는 중이었다고 여기자

아직 고요가 깃들지 않은 몸이라
이렇게 고마운 휘청거리는 중심

그냥, 그냥
휘청대는 중심에 서서
달력 한 장 또 넘어가고 있다

언제부턴가 내가 부축했던 사람들이
흔들리는 나의 중심으로 들어오고 있다

제2부 그 여자전傳

노안도蘆雁圖

노안도를 그리다 보면
꼭 서쪽 하늘이 친근하다.
유독 그쪽만 쓸쓸하다.

갈대는 기러기의 울음 쪽으로 눕고
기러기는 갈대의 그늘에서 날개를 쉰다.

내 노안도를 내가 그린다.
엎드려서 정성껏
깃털을 고르듯 그린다.
이 그림 다 그려지면
기러기 깃털 다 빠진 방향에
늦가을처럼 걸어 두어야겠다.

기러기 대신
갈대가 깃털을 수다스럽게
고르는 저녁 무렵이
침침하게 지고 있다.

그 여자전傳

계절을 겨울에 두고 살아서
머리카락이 희다.
시력이 훌쩍 가 버린 것은
삼십 중반에다 그 맑고 밝던 시력을 빼앗기고 왔기 때문
이다.
크나큰 부엌을 안고 이고 살 때는
집 안과 밖 전부가 북적북적했다.
하루에도 수십 차례
시도 때도 없이 밥상을 편찬하였고
반찬의 목록을 수집 도감하였다.
부산하던 영역의 옷을 벗기가 무섭게
세월은 말도 없이 나를 떨쳐 두고
혼자서 훌훌 가 버렸다.
홀로 멍할 때면 간간이 생각이 찾아와
전화번호를 뒤적이고
쓸쓸함과 기쁨을 툭툭 친다.
웃을 때는 어린 날을 데려와 한참을 즐거워하고
눈물이 나와 올 때는

어디서 짠 소금물을 떠 와 상처에 붓는다.

석류 알 진홍색 붉은 혀들은 날마다 판을 치고
알알이 내뱉는 말들이
가녀린 마음 벽에 턱턱 박히던 시절
그래도 그렇게 쩍쩍 갈라지던 아픔마저도 한참 동안
그리움으로 다가왔다 가곤 한다.

적막이 진을 치고 있다.
창밖으로 눈을 돌린, 눈길에서 흘러나오는
머리가 희끗한 회한을 본다.

숫자의 화석

세상에는 내가 셀 수 없는 숫자가 있다.
죽음의 나이와 내 몸속 뼈의 숫자
오래된 화석을 보면 그것처럼 선명한 숫자도 없다.
내가 끝내 세지 못하고
다른 이들은 다 셀 수 있는 숫자
그것은 나만 모르는 내 숫자다.

우리 집에는 숫자의 화석이 아주 많다.
어느 고생대보다도 많은 숫자의 화석이 대대로 앉아
있다.
그래서 한 집안의 족보란
화석 도감이라고나 할까
가끔은 그 화석 도감을 펼쳐 놓고
거기 한 귀퉁이 내 나이도
언젠가는 등재가 될 것이라고 짚어 보는 곳 있다.

오래된 기억 한 개 뜬다.

방 가운데 시조모님께서 천장을 보시고 반듯이 누워 계셨다. 열린 들창문으로 들어온 햇살 망자의 손목에서 맥을 잡고 있었다. 마지막 들이마신 숨을 얼굴을 여러 바퀴 돌아도 끝내 내뿜지 않았다.

　훗날 나만 모르는 내 나이의 화석,
　내 뼈마디가 화석 도감에 등재될 것이라는 사실 앞에
　나는 서 있었던 것이다.

첫서리

남도에 첫서리가 내렸다.
부지런한 사람 아니면 밟아 보지도 못한다는
하얗고 깨끗한 첫서리.

어린 시절 영창으로 내다본 마당 풍경은 예쁜 그림이
그려져 있었다. 할머니는 둘도 없는 내 친한 친구였다. 이
른 아침 해 뜨기 전 할머니는 나를 잠에서 끌어내 잠에 취
한 나를 품 안에 폭 안고는 작은 유리창으로 밖을 내다보
며 저 봐라 저 봐 첫서리가 내렸어야. 하얀 도화지 같제?
까치가 날아와 서리 위에서 홀딱홀딱 뛰제? 제 발자국을
찍고 있는 것이여. 흰 도화지에 찍힌 발자국, 아이고 이
쁘제이? 저기 우물가 감나무 가지 위도 좀 쳐다봐라 까치
한 마리 꼬리 방아 찧는 것 보이제? 깟깟깟 내 새깡이한
테 아침 인사 하는갑다 응, 제 짝 부르고 있는 것이제 어
찌나 큰 소리로 불러 대는지 부르는 소리가 큰방 안에까
지 들어와 구석구석 돌아다녔다.

보고 잡은 손님 오실랑갑다.

48

햇살이 언뜻 일직선으로 퍼지면 하얀
서리는 어디론가 사라져 버리고 문풍지 사이로
찬 이슬 바람 슬쩍 들어와 나를 움츠리게 하면
아랫목 비단 천애이불*로 내 몸을 돌돌
꼭 싸 주시던 할머니.

하얗게 내린 첫서리는 귀하다
올해는 한숨 끝에 자주 내렸다.
눈 속에서도 자주 내렸다.
장소를 가리지 않고 시선의 끝에서
형체도 없이 녹아내렸다.
성성하던 풀들의 고집도 저
흰서리에 고분고분 풀이 죽는다.
깨끗한 첫서리 한 필 끊어다
옷 한 벌 짓고 싶다.

* 한겨울에 아랫목에 깔아놓은 아주 얇고 작은 비단이불. 속에는 명주솜을 넣었다.

짧은 길

눈이 내렸다
반가운 손님.

그 손님 걸어 다니시라고 이른 아침 좁고 짧은 길이 생겼다. 넓은 골목길을 쓸고 간 좁은 길, 길 속에 또 길이 생겼었다.

넓은 길 속에 좁은, 길 좁은 길 녹고 나면 또 넓은 길이 나오는 길, 새각시 시절 세배 가던 날의 발처럼 추억이 시리다.

세배꾼들을 부러워했던 그 시절 정월 초사흘도, 보름도, 훌쩍 가 버린 정월 그믐께 침모 할매가 옥양목으로 볼을 대서 날아갈 듯 날렵하게 만든 버선 한 죽, 꿩고기 샘*을 넣은 떡국, 정갈하게 간수해 놓은 인절미, 육전, 어전, 풋마늘 산적, 문어회 등을 구절판과 꽃찬합에 얌전히 채우고 목판에 차곡차곡 담아 순자에게 이우고 체경 앞 설빔 맵시는 앞 보고 뒤 보고, 어머님을 따라나서는 그 즐거움이라니.

간댓집 할머니께 세배하러 가던 길의 즐거움은 번들거리는 골목길에서 뒤뚱뒤뚱 참 즐거웠었지. 돌고 도는 골목길이 어찌나 재미있던지 양단 치마 바스락거리는 소리가 빙판 골목길에 쫙 깔리고 시간이 느리게 가기를 학수고대하던 세배길.

지금은 그 고샅이 소방도로가 됐고 간댓집, 종재아재집, 기사주임집도 ㄱ겨울 눈처럼 다 녹아 사라지고.

좌우로 쌓여 있던 눈이 물 되어 흔적이 없어지면 다시 넓어지고 골목은 길어지고 그때 그 길던 시절이 코끝에서 아른대는 어떤 날 오후.

* 새알처럼 빚은 완자.

종부
– 장꼬방*

안채 뒷마당 약간 높은 곳 네모진 담 안에 포근히 들어 앉은 크고 작은 항아리들, 빳빳한 수세미로 쓱쓱 문질러 맑은 물 두서너 동이 쭉쭉 끼얹어 반질반질 닦아 놓은 손 때 묻은 장꼬방, 할머님 정겨운 음성 휘감아 온다.

– 여기 큰 독은 간장만 따글따글 달여서 부어 놓은 놈 이고 저것은 진간장, 그 옆엣것은 고추장, 이놈은 된장, 저 옆엣놈은 겉보리에 굴비 저장하는 독이니라. 이쪽 맨 뒤 의젓이 앉아 있는 제일 크고 잘 생긴 항아리는 내 시어 머님, 긍께 네 증조할머님께서 대물림하신 것이여.

꼿꼿한 기상에 열두 대문 벌벌 떤다.
이른 봄날 햇살, 남실대는 장독대 안에
할머님 당당한 모습 부산하다.

자고 나면 쓰다듬고 다독이고 씻어 주고 햇볕 나면 뚜 껑 열어 뜨거운 열기로 들뜬 가슴 다소곳이 삭혀 주고 바 람 일면 꼭꼭 뚜껑 닫아 숨 막혀 얼굴 달아오르게도 하시

더니, 항아리마다 듬뿍 정 채워 놓고 절절한 이야기들 차
곡차곡 담아 두고 어느 늦은 봄날 홀연히 먼 길 뜨셨다.

　　푸석한 세월 켜켜이 쌓여 있고
　　뒤돌아설 줄 모르는
　　눈발 같은 시간들, 그리움들,
　　종그랭이**로 퍼 담고 종그랭이로 퍼 담는다.

　　* '장독대'의 전라도 토박이말.
　　** '작은 바가지'의 전라도 토박이말.

편린

꽃 피는 순간보다
꽃 지는 풍경만 기억난다.
셀 수 없는 문들이 기억나고
그 문 안의 기침 소리가 기억난다.
문밖은 사월인가 유월인가
긴가민가 기억나지 않고
한여름에도 문 안은 아랫목이 뜨거웠다.

    문들 중에서도 유독 무서운 문이 있고 만만했던 문도 있
었다. 큰방 영창은 사시사철 차렷 자세였으나 스르르 열
렸고 대청마루 들문은 쉴 틈이 없었고 역시 서슬 퍼런 문
은 윗방문, 항상 초긴장 상태로 문의 기색을 살펴야 했다.

    세월이,
인걸도 인심도 가족이란 테두리도
까닥거리는 검지에
온 세상을 맡겨 놓았으니

큰방 작은방 대청 윗방 사랑방 허드렛일방 광방 부엌방
찬방 새방 골방 행낭방 침모방 공부방 손님방 애기방 이
루 헤아리기 쉽지 않은 방문들을 어찌 다 외우고 있을 것
인가.

한 지붕 아래 조부모 부모 자식 손자 고손자 조카
정겨운 웅성거림이 줄을 잇고 목울대를 조인다.

보리차 끓는 시간

보글보글 보리차 끓는 소리, 불이 끓여 내던 한겨울의
뚜껑 그것은 어느 주둥이에서 나던 초침 소리였을까 겨울
의 오후가 졸아들던 소리, 후후 불어 마시고픈, 뜨거운 소
리들.

노란색 알루미늄 큰 주전자 속 두 되쯤 되는 물은 육 년
근 미삼을 품고서 벌겋게 달아오르는 조개탄 난로 위에서
뚜껑을 열었다 닫았다 하는 야단법석을 난로 밑 공기구멍
을 막아 진정시키면 어느새 굵어진 눈발은 저녁을 재촉하
고 꽃무늬 머플러 똑똑똑 하이힐 소리가 교무실 문을 드
르륵 열어젖히고 쓱 들었다. 학부형인가? 미삼 향은 썰렁
하게 흩어지고 시계 소리는 숨을 죽인 채 물끄러미 한껏
멋을 부린 그녀를 응시하고

상처 중에는 연정戀情으로 받은 상처가 가장 아리고 아
프다는데 연탄집게는 죄 없는 날로 공기구멍을 들썩이고
눈발은 하염없이 더 굵어지고

들썩이는 세월이 졸아드는 소리, 주전자 뚜껑 딸깍대는 초침 소리, 싸락싸락 알싸한 그리움들이 번져 나는 한겨울의 저녁나절이다

기다리는 시간은 아직 어리고

처음, 너의 얼굴을 볼 수 없었고
나는 울렁거렸고 배는 만삭이 되었다.
너의 얼굴을 본 날은 오래 기다린 날이었다.
당당하고 옹골차게 고고의 울음을 터뜨린 너였고
양수 속에 떠 있을 때의 행동들을
배냇짓이라는 이름으로 하나하나 다 보여주었던 너였다.
내 간장은 오그라들듯
네 앙증스런 모습에 빨려들었고
만지기도 아까운 고 작은 팔다리로
얼굴에 핏대가 오르도록 힘을 배울 때
눈에 넣어도 아프지 않을 너였다.

뒤집고 앉고 잡고 서고 한 걸음씩 떼어 놓을 때면 네 주
위에 둘러앉은 많은 권솔들은 올림픽 금메달 획득을 방불
케 하는 함성을 지르며 방 빗자루로 네 야들한 다리를 때
리는 시늉을 했었고 도리도리 하늘 한번 땅 한번 보고 짝
짜꿍 곤지곤지 잼잼을 하는 네 재롱은 우리들 마음을 녹
여 주는 꽃이었다.

하교의 시간을 기다릴 때면
함께 기다리던 햇살은 점심을 먹고는
후다닥 내 머리 위를 지나가곤 했었다.
세상의 온갖 말에서 세상의 글자들을 알아내는 너였다.

선대 어르신 기일이 겹쳐 네 국민학교 입학식 참석을
용납하지 않으셨고 나는 내 친구에게 너를 부탁했었구나
그 미안함과 아쉬움은 생이 다하는 날까지 내 가슴 깊은
곳을 이리게 할 것이다.

오직 홀로인 채로 빙빙 빨려 들어가는 미궁,
지금도 기다리는 시간은 어려서
약속한 시간은 두근대며 뒤뚱거리고 있구나.
대문 빗장을 풀어놓고 마지막으로 만나는 어린 나이의
너와 나
이렇듯 평생을 기다린 나는
어디쯤에서 놀고 있을 아주 어린 너를
어렴풋한 시간을 잡고 기다리고 있는 것이다.

두꺼비가 들어오는 저녁

후덥지근한 여름비가 마당을 쓸 듯 지나가고
비릿한 비 냄새가 사방에 고이고
우둘투둘한 두꺼비 한 마리가 대문 지방을 기어오르고
있다
느릿한 두꺼비의 격조는 몇 번 굴러 떨어지고 난 뒤에
야 생긴다
빗방울이 무두질하고 간 안마당이
어기적거리는 두꺼비의 걸음에 갇힌다

자잘한 부속들을 태운 안채 아궁이와 방 안 온돌엔
여름보다 살짝 더운 온기가 고여 있을 것이다
나머지는 여름 공중의 몫으로 흰 연기가 길다
푸른색 들판을 가득 실은 수레가 젖은 무게를 부려 놓
는다
담장 밖 아이들의 소리를 가득 묻혀 들어오고
뒤이어 뒷짐 진 출타가 들어오던 저녁
부엌에선 세간들이 바빴다
그릇들마다엔 늘 담기던 음식이 정해져 있었다

발 씻은 물이 뒷마당에 휙 뿌려지고
몇 개의 저녁상이 차려지던 왁자한 집

돌담 틈새로 들어간 두꺼비의 안부라든가
뚝뚝 떨어지던 풋감의 소리라든가
큰 방일수록 작은 소리들이 새어 나오고
작은 방일수록 큰 소리들이 새어 나오던,
너무 멀리 있어 어린 저녁

남상 밖의 세절들은 담장 안으로 들이올 디이고
아직은 떫은 열매들은 달거나 쓴맛들을 찾을 터이지만
지금은 단 한 번도 본 적이 없는 세월이
훌쩍 들어와 안채 긴 마루에 걸어앉아 있다
흰 머리카락만 분주한 시절이고
느릿하고 또 느린 두꺼비 몇 마리를 키우고 싶은 마당

오백나한

나 세상 사는 동안 오백 명의 얼굴만 기억했으면 좋겠다.

부처에 후생을 두고 산문을 들락거린 지도 얼추. 일주
문 지나 사천왕문 지나 불이문을 지나고 나니 날개로 내
려앉은 대웅전. 절 마당을 가로질러 돌층계 올라보니 전
각 한 채가 오백전이란 이름표를 달고 고즈넉하게 앉아
있었다.

저 작은 전각에 오백 명의 얼굴들이 있다는 뜻. 이승의
셈법으로는 셀 수 없어 눈으로 셀까 하다 그저 기한 없는
배拜나 올렸다.

나한들의 낯이 익었다. 자세히 보니 유년 시절 큰집에
서 보았던 사람들이 옹기종기 모여서 각자 한때의 얼굴로
앉아 있었다. 왠지 요즈음 부쩍 큰집 시절이 시도 때도 없
이 자꾸만 튀쳐나와 한참을 놀다 가곤 하는데 그 애절한
그리움들이 거기 한 방에 모여 있었다.

얼굴들 편안해 보여서 좋았다.

큰집 머슴 째끄리짐센, 냇가에 살던 상두 당숙, 안 골목 살던 철순 아재, 갈치 장사 떼보 조센, 학철이 오빠, 심부름꾼 꼬마 세근이, 앞집 황센, 남원집 달호 영감, 쇠죽 쑤던 털보 아재……

어릴 때 보았던, 친척 같았던 사람들, 큰집 일 때문에 얼굴 펴질 날도 없이 들락날락했던 그들이 지금은 싱글벙글이다. 신발은 문밖 토방 위에 세워 놓고 나는 반가운 그들을 미니 쫄쫄 띠리디니며 업어 줘, 이야기해 줘, 밤 까 줘, 꽃신 삼아 줘, 마냥 귀찮게 굴었다. 그래도 그들은 내 뜻을 다 받아 주며 언제쯤 또 올 거냐고 묻는 듯 나를 내려다보고 있었다.

천장에 달아 놓은 오색 수박 등 은은한 불빛이 함초롬히 너울거렸다. 그 밑을 밀려들고 밀려나는 신도들이 파도처럼 출렁거렸다. 그 틈에 끼어 있는 나를 귀여운 듯 내려다보고 있는 시골 큰집 아저씨들을 보고 또 보면서 문

지방을 넘으니 토방 위에 벗어 놓았던 신발은 오간 데 없고 뿌연 먼지 둘러쓴 후줄근한 세월 한 켤레가 맥없이 앉아 있었다.

오래 묵은 일기장엔 아직, 네가 살고

– 층층시하

층층시하의 목록마다
꾸중의 종류도 참 여러 페이지였어라
이백 장도 넘는 마음을 갖고 있었던 그녀였어라
빽빽한 시집살이, 그 어렵고 무서운 얼굴들은
절대로 넣지도 못하고
호칭만 굵직하게 써넣었던 마음속을
오래전에 잃어버렸어라
편애의 말로 들었던 독한 꾸중이었어라
이유 없이 퍼부어진 불문곡직한 많은 낱말은
어떤 종류의 위로에도 눈물이 흥건히 고였어라
졸음의 이부자리는 너무 얇았어라

후다닥 이불 걷듯 들려오던
신발 끄는 묵직한 방망이 소리가 가슴을 팼어라
눈꺼풀이 퉁퉁 불어 감기는 신새벽이 날마다 이어졌어라
대들보와 기둥들이 웅성이고
큰기침 소리가 집안 곳곳을 돌아다녔어라
부엌 찬마루는 달그락거리며

큰상 작은 상 둥근상 교자상 들을 펴놓느라 정신없이
바빴어라
할머님 상 시부모님 상 시동생 시누이 상
다니러 왔다 눌러앉은 일가친척들 상
소금장수 담양 바구리 할매 상 체 장수 상 새우젓 장수 상
어느 집 회갑 잔치보다 더 큰 잔치가 치러지는 일상이
빈 그릇이 되는 판을 쳤어라

커다란 놋쇠 화로 위에서 구리 석쇠는
옹기 항아리에 담겨진 어린 암소 뇌를 요리하기에 열을
뿜고
통나무 도마는 서슬 퍼런 칼로
송아지 간 저미느라 마음이 오그라들었어라
가마솥의 김이 뭉실 대며 하얗게 천장으로 퍼지면
흰 쌀밥과 두붓국과 찬들이 올라앉은 상들은
각기 정해진 방으로 들어가느라 시끌덤벙하였어라
아침 먹는 전쟁이 시작되는 것이지라
아스라이 멀어진 어느 날이었어라

갓 시집온 묵은 새댁은
우무 덩이 같은 가슴을 낱낱이 파 헤집는 독설을
마음으로 버무려야 했어라

지금은 행방불명이 되어 버린 묵은 그녀,
어린 날의 새댁이지라
갈피마다 마음 펴놓고 단도리 설거지도 안 하고
여전히 어딘가에서 혹독한 소리에 눈물을 담는 것인지
어느 곳엔가 구겨진 채로 있는 것인지
알 수만 있다면 불러내어 풋풋한 시간들의 냄새를
그녀와 함께 맡아보고 싶은 것이지라

묵은 새댁 눈시울엔 아직도 진한 아쉬움의 그림자가
오늘도 내일도 어제도 뜨지를 못하고 있어라
오래 묵은 일기장 속의 그녀에게
다독다독 위로해 주고 싶어라

침모 영철이 할머니

  끝엣방에서는 사시사철 재봉틀 돌아가는 소리 찰칵거리는 가위질 소리 다듬이 홍두깨 두드리는 소리가 번갈아 가며 영창 문밖으로 새어 나왔다.

  대가족 식솔들의 입성과 이부자리를 맡아 밤낮 돌보기를 걸친 손놀림으로 척척 새 옷이며 헌 옷을 만들고 기워내던 영철이 할머니. 계절이 바뀔 때면 그에 맞는 입성을, 잠잘 때 바닥에 까는 요며 이불을 맞추느라 눈코 뜰 새가 없었던 영철이 할머니. 안채의 차진 밥을 장손자의 입에 넣어 주려 젖가슴 속에 품고 문간채로 나르던 영철이 할머니

  작은 키에 언제나 바지에 헐렁한 저고리를 입고 발은 오리발처럼 사철 맨발이었고 손은 땔나무꾼 같아도 그 손 끝을 거치기만 하면 가만히 놓아두고 들여다보고 싶은 예쁘고 정갈한 입성과 바늘 걸어간 흔적이 아름다웠다.

  흐르는 물처럼 봄이 오면 온갖 꽃잎들을 안감 사이에

끼워 넣어 향내를 살게 했고

여름철에는 시원한 바람을 데려다 잠자리 날개처럼 포도동 날아갈 옷을 지었고,

오방색 키 큰 가을이 성큼 대면 툭 떨어지는 아릿한 마음 한구석을 몰래 돌돌 말아 재봉틀 박음질에 실어 보내고

설리 바람이 몰아칠 때는 날렵한 불길이 활활거리는 큰 아궁이의 뜨거운 기운을 끌어다 폭신하게 덮어 주던 영철이 할머니.

얼굴에 비하여 코가 너무 커 주먹코라 불리던 영철이 할머니. 시간만 있으면 부처님 법이 제일이라며 선업을 쌓으며 살아야 한다는 말을 가늘디가는 입술에 주렁주렁 매달고 살던 영철이 할머니. 매달 음력 초하룻날에는 여하한 일이라도 다 제치고 머리 목욕에 꽃단장을 하고 절로 행하던 영철이 할머니.

네모난 귀퉁이가 까맣게 닳아빠진 공책을 신줏단지 모시듯 품에 안고 다니면서 시줏돈을 권선할 때면 작고 주름

진 얼굴에 광채가 돋고 발그스름하게 연꽃이 피어났던 영
철이 할머니.

권선 공책을 경전인 양 받들어 펴 놓을 때는 무량하게
들뜬 마음에 큰 코는 더욱 커지고 돋보기 너머로 쏟아지
는 환희심이 방 안 가득 출렁이었다.

덧없는 세월을 깁던 영철이 할머니
아흔여덟에 절친하게 지내던 세상 친구의 손을 놓았다.
헌 것도 새것으로 만들어 내던 고운 손끝을 놓아두고
종착역으로 가는 세월에 탑승한 것이다.
만나고 싶다는 심부름이 수차례, 삶과 죽음이 고섶에
와 있음을 전혀 생각지도 못하다가 부음을 듣는 순간
찌릿한 통증이 가슴을 눌러 한동안 생사의 갈림길에서
서성거리던 송곳이 가끔은 나의 심장 깊은 곳을 찌르고
있는 것이다.

대가족 식솔들의 입성이었고
포근한 잠자리였던 영철이 할머니.

지금도 식솔들의 따뜻하고 시원하고 향내 가득한 입성을 잠자리에 덮고 깔 이불을 한량없는 숨결로 보내고 있을 영철이 할머니.

　그는 대종가의 침모였고,
　물리를 증득한 우리 안의 숭고한 보살이었던 것을.

손끝의 눈

마을에서 사람이 죽을 때마다
석재 장에선 돌 깨는 소리가 났다.
등 굽은 석공은 눈도 어두웠으나 손끝의 눈만은 밝았다.
새 주소를 새기는 중이라고
본관本官으로 전국의 지명들을 더듬었다고
묘비에 후생의 주소를 새길 때
가벼운 가루로 날아가는 이승의 주소들
묵직한 내력들만 뽑아서 음각으로 새긴다.

천하 없는 딱딱한 돌일지라도
한 사람의 일생보다는 무르다는 등 굽은 석공
단단하게 들어앉은 글자들은
비바람에도 끄떡 않고
심지어 파릇한 이끼가 꽃처럼 피어나기도 했다.

어떤 사람은 생시에 사후의 주소를 흑석에 새겨 놓고
아스라한 후생을 넘나들기도 한단다.
어느 해에는 큰물이 마을을 지나갔고

살아 있는 것들이 둥둥 떠내려갔다.
흙더미를 덮어쓴 주소들이 우뚝우뚝 솟았다.
하구언 어디쯤에서 걸려 있는 주소들을 끌어다
동네가 쩡쩡거리도록 박히던 낯익은 주소들.

등 굽은 제 주소도 모르던 까막눈 석공
세상에 없는 주소로 떠나 버리고 돌들이 늙어 갔다.
해마다 성묘 뒤끝
어디선가 많이 본 듯한 손끝 눈이
묘비에서 물끄러미 바라보는 듯했었다.

나는 고향이다

무적자로 떠돈 군郡과 동洞이 몇 개나 될까
모두 고향이라는 말이 묻어 있는 곳들,
나는 어느 시간의 어귀에 침침한 고목이 되어 가고 있다.
문을 열면 길이다
감나무 늙은 골목을 지나 대문을 열면
내 어린 발자국은 전족 같아 오종종하다.

나는 일곱 번의 전학을 부친께 물려받았다

내 어린 시절에는 무서운 길이 많았다
우거진 숲을, 자갈밭을, 산과 들을 터덕거리며
잘생긴 구름을 따라 떠돌면 가끔
고향이 어디십니까
나는 선뜻 나오는 대답을 키우고 있지 못했다.
나의 태를 묻은 영암군 학산의 작은 강변과
아버지의 고향 구례
길들 엉켜 있기 일쑤다.
고향이 없으면 행복하지 못하다는 말끝

눈에 눈물이 살고 머릿속에 풀 먹인 삼베가 살고
마음에는 첫서리가 사는 곳
풍선처럼 부풀어 터질 날만 기다리는 고향.

구례군 광의면 대전리, 곡성군 입면, 장성군 성산읍, 영
암군 학산면, 화순군 화순읍, 중국 땅 서주, 기억들이 더
듬이를 앞세워 머물다 간다.

고향들이 들쑥날쑥 늘어선다.
그 모든 고향들이 일제히 나에게로 몰려들고 있다.
모든 제일祭日과 기념일들이 몰려드는
나는 어느새 고향이 되어 있는 것이다
산바다바람불佛!

제3부 길

발밑이 불편하다

눈이 나빠지고 난 지금
발밑이 제일 어둡다.
환한 대낮이 제일 불편하다.
검은 글씨란 환한 바탕에 있고
젊음도 결국엔
환한 얼굴에 검은 머리이지만
문맹의 시절로 돌아간 것인지
안개가 낀 흐릿한 눈,
그런데 말이야
몇 겹의 눈꺼풀을 벗고 있는 봄의 꽃들에겐
파란 눈동자가 보이기 시작하는데
내 검은 눈동자는
어느 색깔로 다시
꽃 피우려 하는 것은 아닐까.
마음과 몸이 틀림없는 별개의 것이라면
속수무책 미안하다.

매미

여름 한철 우는 매미는
일생을 우는 거야.

그렇지,
저렇게 평생을 울고만 가는 존재도 있는데
나는 어느 여름의 나무에 붙어
울고 있는 것인지
동병상련, 반가워 다가가면
그 울음은 또 어느
슬픔으로 옮겨 앉으려
날아가는 것인지

겁이 많은 저 울음
여름 한철 울겠지만
나는 더 이상
겁나는 일이 남아 있지 않다.

내가 일생 동안 운 시간이

한 나무를 흔들었단다.
내 참,
그 나무는 내 울음을
다 받아 주는 존재였단다.

내 울음으로 온 그 많던
이름과 일들
나는 또 어느 여름의 어느 나무에 붙어
먼 울음을
울먹이고 있어야 하는 것이냐.

사랑니

욱신거리던 입속
저 안쪽
사랑니를 뽑아 버리니
펄펄 부어오르던 뺨이 가라앉는다.
뽑혀져 나온 사랑니를
손바닥에 올려놓고 자세히 들여다보면
그간에 설레던 애틋한 감정들을
다 받아먹고 살았는지
하얀 것이 통통하게 살이 올라 있다.

입속은 아직도
들썩들썩 숨을 쉬고 있다.
내 젊은 날을
송두리째 먹어 버렸을 것 같은
짐승의 송곳니처럼
알 듯 모를 듯 숨어 있던 이빨 하나
내게도 있었다는 사실을 이제야 알았다.

사랑이라는 말을 다 받아먹으며
나를 먹여 살렸을 사랑니
악연이거나 선연이거나 모든
인연들을 막론하고
내가 사랑한 그 이름들을 죄다
먹으며 살았을 성싶은
입 밖으로 나온 사랑니.

이제는 그 사랑들을 잡아먹지도
밀쳐 내지도 못하는 회한
그리하여 나는 그냥 무작정 그것을
오래오래 굶겨 두기로 하였다.

종이 한 장

마음이 종이 한 장만큼
기어이 얇아져 버렸다.
딱 슬픔의 두께로 얇아진 마음이란
꽃 흔들리는 풍향을 타는 것이라지.
새싹들을 비껴가던 바람도
조금 자랐다 싶으면
제 풍향을 서슴없이 맡기고 가 버린다지.
펼쳐 놓고 접어 놓고 늘어놓고
그 얇아진 마음에 금이라도 갈까 싶어
가슴은 두 근 반 세 근 반
꼭 감은 두 눈이
고요를 불러오고 되짚어 들여다보고
시간 속을 붙들어 봐도
얇아질 대로 얇아진 마음 한 자락
끝 간 곳을 모르겠다.

스러질까 찢어질까 무작정 끌어안고
다람쥐 쳇바퀴 돌리듯

오늘도 또 그렇게 하루가
어질어질 가 버리더라는 것이지.

아픈 돌

수삼 년 전 맑디맑은 날 남한강 변에서
혼자 앉아 기도하는 여인이 박힌
돌 하나를 얻었었다.

경이로운 풍경을,
돌을 손에 들고 유심히 들여다보는 순간
이 돌은 애초에 우주를 떠돌던 별이었다는 것을
무한에서 깨지고 자연에서 닳았다는 것을.

기도하는 돌 속의 이 여인은
처음엔 저 형상이 아니었을 것이다.
아이를 업고 있었거나 젖을 물리고 있었거나
어느 우주의 가사를 돌보고 있었을 것이다.

여인은 가장 날카롭게 이별하고 난 뒤
그때부터 기도하는 무늬로 남아
돌에서 살게 되었을 것이다.
쓰린 흔적이 부드럽게 마모되면서 기도하는

여인이 되었을 것이다
깊게 패인 앙금들을 자주 불러 울며불며 인적 없는
강변에서 풍상 풍우를 마냥 겪어 냈으리라
여인들의 평생은 기도하는 평생이었으니
숨줄이 끊긴들 한목숨 내력에
던지는 것은 일도 아니었으리라

피붙이를 향하여 장군처럼 돌진했고
가문의 손망을 위해 견딜 수 없는 환란까지도
거뜬하게 물리쳤을 것이리라
오매불망 끝나지 않을 기도
돌 속에서 기도하고 있는 이 여인은 헌신하면
헌신짝 된다는 속담 알고나 있는 것인지
지구별에서 벌어지고 있는 작금의 삶들을 불러 모아놓고
보고 싶은 것이나 아닌지
물어보고 싶은 것이다.

흰 개 이야기

마당이 추울 것 같아
털이 북실한 개 한 마리 묶어 놓는다.
안쪽 마당 제일 추운 곳
개가 자라면서 마당은 한결 따뜻해졌다.

아침부터 해 질 녘까지 퍼져 있던
겨울 하루가 지는 해를 깜박 놓치고
웅크리고 있는 개의 품속으로 들어간다.
가만히 보면
녹지 않는 한 무더기 눈 같다.
질퍽한 날에는 배 아래쪽에 진흙을 묻히기도 하고
잠깐 녹는 틈인 듯
붉은 혓바닥을 내민다.

어느 해 성탄절 즐거운
웃음들이 밤새 들락대던 대문 사이로
사람인 양 들떠 덩달아 들락대다
새벽녘 빗장이 대문을 거는 바람에

대문 밖에서 종종거리다 끝내 어디론가 가 버린
동그란 흑진주 눈을 가진 귀여운 요요
얇게 덮인 눈 위로 찍힌 요요의 발자국
사라지지 않는 것을 보면 내 눈은
아직도 흰 눈 덮인 겨울이 분명하다.
세월 흐른 지금도 내 눈앞에서 어른대고 있다.

겨울 지나 초봄
북실한 눈 뭉치 녹지 않고 마당 한 귀퉁이에
여전히 묶여 있다.
꼬리 치는 눈덩이
올여름 마당은 시원하겠다.

물의 문

몸 뒤틀린 해풍이
풍천風川에 섞인다.
소금기가 간간이 섞인 물에는
미식美食의 어종이 산다.
두 곳의 물이 만나 소용돌이 큰 방을 만들어 놓으면
잠시 여관에 들 듯
대해를 목전에 둔 연어 치어들이 묵었다 간다.
이때 어린 연어는 물의 열쇠가 된다.
등 쪽에서 작은 지느러미가 튼튼해진다.
밋밋한 자물통과
짠 자물통이 만나는 풍천風川
아가미와 꼬리지느러미로 물을 여는 것이다.

다리 밑으로 새까맣게 몰려가는 연어들은
문 여는 열쇠수리공들 같다.
산란의 붉은 씨앗들,
물의 문을 여는 열쇠의 치어로 부화할 것이다.
거친 물살이 몸으로 들어

겹겹의 물 향 짙은 나이테가 되는 것이다.

며칠 동안 먹은 것이라곤
세찬 물살뿐인 연어들
한낮에도 불을 켠 눈앞
은빛 뱃전에는 붉은 씨앗들이 가득하다.

자갈 여울에 씨를 뿌리고
뼈로 누워 있는 연어들의 몸에서
묾소리가 발려지고 있다.

선풍기

어느 날 저녁때던가
안채 정원 어귀에
어머님은 어리디어린
왕벚꽃나무 한 그루를 심으셨다.
무럭무럭 자라면서
선풍기 나무가 되었다.
프로펠러에서 분홍색
꽃을 피워냈다.
몇 볼트인지는 모르지만
자동으로 조절되는 풍력이 있었다.
여름에 전원을 꽂으면
시원하게 바람이 불고
가을에는 전원이 없어도
스산한 바람을 내곤 했다.
선풍기에서는 성냥개비 모양을 한
버찌가 떨어지고
밟으면 팍, 붉은 불꽃이
스파크처럼 일었다.

그 어렸던 선풍기는 자라서
고목이 되었고
더운 여름은 또 오고 가고
연분홍 꽃잎은 선풍기 바람 따라
꽃비가 되고
시원한 바람이 되고
스산한 바람이 되고
눈비가 되고

가을은 겨울은 여름은 봄은
어머님 선풍기 위로 마냥
어김없이 지금도 돌아가고 있다.

노송老松 노승老僧

대웅전 뒤편 암자 올라가는 길섶에는
사람 형국으로 오래 기거하고 있는 두 그루 노송이 있다.
늘 비스듬한 방법으로 열심히 수행 중인 큰스님 같은
그야말로 두 분 목승木僧이시다.
흔들리는 자주색 가사를 걸치시고
자기 나이도 모르는 채
언제나 그 자리에 그대로 서 계시는 소나무 두 분
그 몸 색 절대로 바꾸신 적 없다.
용맹정진으로 지친 가랑잎들 모두 장삼 근처로 떨어뜨
리시지만
먹물 그림자 가사는 낡지도 않는다.
먹빛 법력이다.
사람의 나이로는 셀 수 없는 늘 푸른 목승
하늘의 소일에나 관심 있다는 듯
그늘 밑의 일에는 흔들리는 법 없고
공중의 것들에게만 운신運身한다.

저 검은 가사 한번 들춰 보고 싶어져서 그 밑에 앉아

오래도록 기다려 본 적이 있다.

저 아래 큰절에서는

저녁 예불로 오체투지하는 부처들이 있고

속세의 흙 묻은 어둠이 장삼 밑으로 모여들고 있다.

어둠의 일에도 환하다는 듯

낮과 다름없는 저 흔들림

내 몸에도 무시로 큰 먹빛 장삼 하나

어둠처럼 슬쩍 들려 주시는

노송老松 노승老僧 대보살大菩薩.

고목나무 백목련

교가가 울려 퍼지고
졸업생들이 흩어져 간다.
강당 옆에 서 있는 저 고목나무 백목련도
수십 번 졸업식을 반복하고 있는 중이다.
졸업생들이 받는 졸업장 대신
백목련은 올해도 못난 흉터 같은
흔적 하나만 더 늘었을 뿐이다.

학생들은 교복을 벗고 머리를 기르고 다시
그 머리에 희끗한 굴욕과 영광을 얹고 다니지만
저 고목은 흰색의 꽃과 푸른색의 잎을
그리고 시드는 색깔을 지닐 뿐이다.

해마다 봄이 돌아오면
교가를 부르고 박수를 치며 흩어지는 겨울
나뭇가지 끝에서 덩달아 박수를 치는지
작은 바람에도 사부작거리며 흔들리고 있는
연둣빛 기미들, 모범생 표창은 못 받더라도

급훈과 교훈과 훈시는 모두 기억하고 있는
백목련은 해마다 즐겁게 유급을 당하고 있는 것이다.
어찌 보면 일생을 학교에 맡겨 놓고
강당과 같이 나이를 먹고 있는
참으로 착한 학생인 것이다.

백목련 고목은 봄만 되면 굵은 팔뚝에
흰 꽃들을 가득 달아 놓는다.
수, 우, 로 가득 찬 학생들의 성적표같이,
봄 학기에만 유별나게 열심인 백목련 고목
새로 막 돋아난 여린 가지 하나가
이 봄 새 학기에 또 시작하려는 입학식에 참석하려
꼼지락거리며 준비를 하고 있는 것이다.

잃어버린 날씨

내가 기억하는 길에는 참 많은 날씨가 있다.
따가운 햇살이 몇 포기 고추로 붉게 익어 가고
양산 위 뒤늦은 봄꽃들로 피어 있고
바늘을 새김질하던 흰머리를 한 여자들이 여럿 거쳐 간
내당內堂과 적삼이 있었고
손목 끝에서 불던 쥘부채에 붙어 있던 얇은 바람이 있
었고
선풍기에서 돌아가던, 아껴 쓰던 바람이 있었다.

나를 안아 주었던 따뜻한 품과
내가 안고 있던 젖먹이 추위가 있었다.
겨울 코트에 뭉툭한 단추로 달려 있던 겨울과
누워서 떠나던 세상에 없는 계절들
여러 번의 기가 막히는 울음으로 왔다 간 날씨들
묵언默言의 가훈처럼 내 몸에 들었다 간 수많은 온도들
세대世代가 바뀌면 내훈內訓이 바뀌듯
짐짓 외면해야 하는 저 울긋불긋한 어린 온도들은 지금
어떤 온도와 바람이 묻어 있는 날씨들인가.

요즘의 길에는 너무 많은 유리가 있어
도무지 나를 찾기가 힘들다.
한참을 기다려도 빈 택시가 오지 않는 길
보도블록 틈새로 올라온 저 어리둥절한 불꽃들
이 낯선 길에 서 있는 나는 어느 계절일지는 몰라도
자꾸 흰색의 속셈이 달라붙는다.

잃어버린 날씨가 너무 많다.
환절기를 조심해야겠다.

말

명약보다는 쓴 약이 이곳까지
나를 끌고 왔을 것이라는 생각이 든다.
불치의 병을 눕혀 놓고 탕약을 달여 먹이는 병상
그 수를 헤아리기 어려운 병을 돌보느라
잠을 설치며 여기까지 왔을 것이다.

사람의 몸에는 그 어떤 것이라도
가두어 둘 수 있는 감옥이 몇 채는 될 것이고,
가두어 놓은 헛소문을 오래 굶겨서
회초리로 만들었다.
감옥의 자물통은 참을 인忍자 모양일 것이고,
그 속에는 온갖 남루한 말들이 있을 것이다.

입맛을 보지 않으면 죽는 말
하나씩 차분히 불러내어 그 입을 열어 주면 되는 것이다.

지난 한 시절,
말들이 말갈기를 휘두르며 발 없이 왔다 갔다

큰 입술은 나불나불 눈알을 붉으락푸르락
한동안 무단으로 살다 나간 적이 있었다.
참을 인忍의 수없는 종의 말들이 자라고 있었다.

입을 열어 놓자
밖으로 나가는
고운 말, 늠름한 말, 멋진 말, 따뜻한 말,
말은 형체도 색깔도 손도 맛도 귀 눈도 없고
다만, 말 속에는 씨가 들어 있을 뿐.

입추 무렵

입추 무렵에는 숨은 것들과
드러나는 것들이 있다.
한여름에 지친 것들
고적한 돌담도 푸른 여름의 이부자리를 개어 놓고
덤불들도 우거진 더위를 걷어 낸다.
폭염에 숨었던 것들은
여물어 가는 것들이나 울음이 없는 것들이다.

귀뚜리는 몸을 숨기고 운다.
울음 가릴 두 손도 얼굴 가릴 무릎도 없다는 뜻인지
빼빼 마른 눈물,
귀뚜라미 울음 수천 마리가 오늘 내 속이다.
금방 터질 것 같게도 부풀어 오른 나이
더 이상 가을이 오지 않을지도 모른다.

세상 나뭇잎마다 찰싹 달라붙어
뜨겁게 늘어졌던 무더위
실낱같은 산바람에 몸져 누워 버린 저 모습이라니

떨어지지 않으려 버둥대는 독한 시위
부쩍 뒤돌아보는 버릇이 늘어만 가는
매캐한 환절기, 수북하게 여민 옷깃 흔들어
어설픈 코끝을 시리게 한다.

언제부터일까
이 무렵 틀림없는 떠날 채비에
백사십 킬로의 징검다리 속력이 널을 뛴다.

오리는 헤엄친다

제 발 모양으로 헤엄을 치는 오리는
흰 눈 둘러쓴 계절 같다.
하나의 몸에 헤엄은 붉은색의 두 발이 치고 있는 헤엄
물 밖은 희고 물 안은 붉다.
한몸에 두 가지 색을 지니고 사는 오리,
모든 새는 콕 집어먹는 식성으로 살지만
넓적한 부리의 오리는
뭉툭한 분류법을 식사 예절로 쓰고 있다.
뾰족한 새들의 부리는 골라 먹는 편식이고
더듬어서 먹는 뭉툭한 잡식성은
오리의 특유한 식사법이다.
물 밖의 방향은 뒤뚱거리는 방향이지만
물 안에서의 방향은 고요하고 우아하다.

어린 날 오리의 별명으로 불리던 아이가 있었다.
아홉 살이었고 속칭 소쿠리 궁둥이 오리걸음을 걸었었다
어미의 눈에는 귀엽다고 하는 모습이
애를 태우는 매서운 겨울이었다.

병명도 원인도 아무것도 모른 채
열두 시간의 대수술이었다.
두 허벅다리 앞쪽에 징그럽게 기어가는
커다란 지네 두 마리가 생겼다.
허리를 펴주는 물리치료는 또 어떻고.
어깨 힘을 다 빼앗아 갔다.
반듯한 허리와 늘씬하게 쑥 뻗은 긴 다리
참으로 예쁜 몸으로 돌아온 내 귀한 새끼.

유유히 떠 있는 물 위의 오리,
붉게 물든 두 발은 얼마나 많은 힘으로
물 밑을 살고 있을지 그 언 발을 생각하면
호호 입김을 불어 주고 싶은 오리는 헤엄친다.

영정

오래된 영정影幀들은 마음 벽에 걸린다는데
어쩌자고, 누구의 슬픔에 걸리자고, 영정사진을 찍었네.
어디서 자주 본 듯한 얼굴로 사진이 나오고
사진틀에 담긴 낯선 여인을 데려다 문갑 위에 앉혀 놓
았네.
가장 고요한 표정만 데리고 앉아 있는 여인.

날마다 거의 한 번씩은 마주 보게 되는 어색한 저 여인
네 마음 다 알고 있다는 듯 흔들리지 않는 얼굴색이네.
저 여인이 오고 나서부터는 미미한 신경으로 거추장스
럽네.
끼니때가 되면 밥상에 숟가락도 한 벌 더 놓아야 할 것
같고
외출할 때나 집에 돌아와서든지 꼭 인사를 해야 될 것
같고

세상에서 한 얼굴이 사라질 때마다
새로 태어나는 얼굴이 있다네.

한 가지 표정으로 만 가지 일들을 상기시키는 얼굴이
있다네.
  저 얼굴에도 호칭이 있어
  어머니, 할머니, 큰형수님, 언니, 형님, 아우님, 친구,
등으로 불릴 저 여인
  사라진 한 사람을 대신해 많은 눈물과
  흐느끼는 소리와 이야기들을 보고 듣게 될 저 여인
  저 여인의 틀에 박힌 일생도 고달프겠다는 생각에
  가장 맑은 수건으로 얼굴을 닦아도 주었네.

  나도 이젠 수십 장의 영정이 걸린 마음이 무거운 나이
가 되었다네.
  찰칵, 하는 순간이 가득 채워진 얼굴
  물끄러미 바라보고 있는 계절은 진설陳設이라네.
  일생의 어느 시절에서 딱 멈춘 여인의 눈길
  어디서 많이 보았다는 듯 자꾸 나를 쳐다보고 있는 저
여인.

푸릇한 얼굴

돌 속에 오래 계시면
저렇게 파란 수염 돋을까?
햇볕 따가워 돌아앉으신 지
언제인지는 모르지만
그때부터 중생의 나이를
쓰고 계시지나 않았는지
검버섯인 듯 기미인 듯
점점 사람의 얼굴로 바뀌고 있는 것 같아
사람의 손에서 깃든 사람의 모습으로
푸릇한 얼룩이나 돌보는 얼굴 되었을까?
기미나 검버섯 수염을 모르던 나이에
물어본 질문
아직까지도 대답 주시지 않은 채
수염만 조금 더 늘었을 뿐인가

오고 가는 사람들의 이정표 노릇
몸 꾸밀 시간인들 있었겠는가
지치고 푸릇한 얼굴에 희미한 미소

잔잔하게 건네주는 자정한 몸 사위

사람으로 살아온 순간순간
한시 반시 앉을 날 없어
만고풍상 딱딱한 돌 속에 서 계신 것인가

저 돌 속
저분 모셔다가 깨끗이 목욕시켜
슬슬 감기는 부드러운 옷 입히고
꽃 요 꽃 이불에 깔아 놓은
다만 몇 초일망정 편히 쉬게 하여 주고 싶은
푸릇한 얼굴의 미소

문패

문패는 지상에서 잠시 세 들었다 가는 집이다
훗날에는 반드시 지묘地墓의 번지로 바뀌는 부유하는
임시 거처다
못 하나가 박히는 곳에 한 집안의 뿌리가 걸려 있다

꽃의 문패는 꽃밭일 것이고
말의 문패는 안장일 것이다
저릿한 기억 한 개가 쾅쾅 박히는 소리가 있고
겹겹이 길 위에 남겨진 눈물의 문패가 아직도 걸려 있다
구급차 속에서 귓속으로 흘려 넣었던 말이 생각난다

"여기는 거깁니다" 혼수昏睡를 굳게 감은 두 눈꼬리로
흘리던 눈물
"집에 당신 문패 어저께 달아 놓았어요. 당신 집으로 가
는 거예요."

한 집안의 문패는 한 대代를 옮겨 다니는 것
물려받은 대문에 섣불리 달지 못하는 문패가 있었다

선대先代의 말씀으로 쾅쾅 못을 박았지만
결국 다시 떼어 내고 달지 못하고 있던 문패
당신이 마지막으로 집에 들기 전
선대의 불호령을 뜯어내고 달았던 지상의 마지막 이름
의 문패
당신 이름에 들어 남은 숨 모두 쓰고 지묘의 문패로 든
기억이 서럽다

지금은 새들과 푸른 잔디 덮고 영원한 잠에 걸린 당신
의 문패
하나의 문패가 한 집안을 거느리는 일은 드물 것이다
층층시하 큰기침 흘러나오던 문패
내 이름 안에서 남은 숨을 다 쓰고 가면 그것이 곧 내
문패겠지만
내 이름을 내가 달고 가는 내 몸이
참으로 내 문패인 것이다.

길

길은 사람이 만든 줄기이고
내 속의 길은 다름 아닌
사람의 오고 떠난 흔적이어서
그 길에 첫발을 들여놓고
사라진 것들의 방향 물어보았으나
따라오다가 뒤돌아가 버린
그 예쁜 길 알 수 없다고 한다.

나는 또 물었으나
어떤 난처한 입장에서라도
모퉁이 돌아 숨은 적 없다고 한다.
말없이 제자리 지키며
가만히 숨 쉬었다 한다.

네가 나를 잃어버렸지
네 안에서 나는 당당하게 끊어지지 않고
뻗어 가고 있었다 한다.

그 어떤 이정표도
검은 밤길도 걸어낼 수 있고
밀치며 환한 여러 갈래 길을
만들 수도 있었노라 한다.

바로 네가 나라고
알려주고 싶었다 한다.

남은 길은 짧아도 내 마음만은

이승하 시인·중앙대 교수

옛날 영화 제목 중에 좋은 것이 참 많았다. 〈Butch Cassidy And The Sundance Kid〉를 〈내일을 향해 쏴라〉로, 〈Bonnie and Clyde〉를 〈우리에게 내일은 없다〉로 제목을 붙이다니, 영화 수입업체 홍보실 직원이 시인이었나 보다. '일식' 혹은 '월식'이라고 제목을 붙이지 않고 '태양은 외로워'로, '자주색 정오'를 '태양은 가득히'로 바꿔 붙였다. 시어 '태양'이 들어가는 시를 쓰고 있었나? '수영장'은 '태양은 알고 있다'로 한국에서만 제목이 바뀌어 상영되었다. 스페인어 'Un Rayo De Luz'은 '한 줄기 빛'으로 번역할 수 있는데 센스 있는 홍보실 직원이 '길은 멀어도 마음만은'이라는 제목으로 바꿔 영화를 수입, 상영하였다. 1960년도 영화로 마리솔이라는 노래 잘 부르는 천재소녀가 등장해 세상을 깜짝 놀라게 한 영화였다. 1969년 판 에세이 사화집 제목이 『한 마디 말의 마지막 의미』였다. 아아, 정말 제목이 멋있지 않은가. 참으로 특이한 시집 원고를 받았다. 시의 제목부터 일별하였다. 물웅덩이 앞에서 놀았다, 타악기를 연주하는 저녁, 기다리는 시간은 아직 어리고, 오래 묵은 일기장엔 아직 네가 살고 등 제목 중 눈길을 끄는 것들이 있었다. 시의 본문 중에서도 시집의 제목이 될 만한 것들이 속출하였다. 우리는 모두 사이를 산다, 서쪽의 나이에서는 가랑잎 소리가 난다, 이 길의 나이를 나도 먹고 싶은 것이다, 나는 가끔 나를 잊어버리고 있다 등등.

이렇게 아연실색할 일. '시인의 말'에 나오는 "여든다섯 번의 봄은 이미 가랑잎"이란 구절을 보니 아무래도 자신의 나이를 일컫는 것이라 여겨졌다. 설마? 이 연세에도 시를 쓰고 있다니? 황급히 읽어 보았다. '세월'과 '시간'이라는 시어가 유독 많이 나와서 일종의 회고담 같기는 하지만 시는 대체로 노인의 시가 아니라 장년의 시였다. 아니, 고리타분하거나 구태의연한 시가 아니라 싱싱한 상상력과 날렵한 표현이 속출하여 아연 긴장하면서 끝까지 읽게 되었고, 출판사에다 전화를 걸었다. 네, 해설 제가 써 보겠습니다.

일본의 100세 시인 시바타 도요는 자신의 장례 비용으로 모아둔 100만 엔을 털어 시집『약해지지 마』를 펴냈는데 장장 100만 부를 돌파, 일본 열도를 뜨겁게 달군 바 있다. 100-100-100의 대 히트였던 것이다. 그이에 비해 김기리 시인은 젊다고 해야 할 것이다. 사실 나이가 중요한 것이 아니다. 하지만 이 땅에서는 40대나 50대 나이에 구부정하게 허리 굽은 시를 쓰다가 사라지는 시인들도 많다. 시인의 약력을 보니 2003년에『아동문예』를 통해 동시로, 2004년에『불교문예』를 통해 시로 등단하였다. 그럼 60대 중반의 나이에 등단한 것이었다. 그간 시집 3권과 동시집 2권을 냈으니 아주 활발하게 문단 활동을 한 것으로 볼 수는 없지만 그래도 꾸준히 시를 써 왔다고 봐진다. 이번엔 두 권의 시집을 준비하고 있다니 유심히 살펴보지 않을 수 없다. 게다가 단국대학교 대학원 문예창작학과에서 박사 학위까지 받았으니 만학도였고 노익장이었다. 과연 어떤 시를 쓰는 시인일까?

우리는 모두 사이를 산다.
나이는 어떤 사이를 묶은 것

116

꽃 피는 나무에서 다시
꽃 피는 나무까지 묶인 한 해

곱구나, 아주 곱구나.

이 말을 몇 번 되뇌인 것 같은데
그 사이 또 고운 꽃 피고
그 사이 또 꽃나무들은 늙고

너는 어디까지 갈래?

—「사이」전문

사이는 한 곳에서 다른 곳까지의 거리를 가리킨다. "우리는 모두 사이를 산다."는 명제는 진리다. 그런데 시인은 "나이는 어떤 사이를 묶는 것"이라는 인식에 이른다. 그 사람이 58년 개띠다, 4·19세대다, 베이비붐 세대다, 386세대다, 이순이다, 희수다 하면 규정되는 것이 있다. '그 시인 나이 85세'라고 한다면 모든 독자는 어떤 선입견을 가질 것이다. 시인은 독자에게 당부한다. 내 나이를 의식하고 시를 읽지 말고 "꽃 피는 나무에서 다시/꽃 피는 나무까지 묶인 한 해//곱구나, 아주 곱구나." 하는 마음으로 읽어달라고. 아래 구절은 독자에 대한 물음이면서 자문이기도 하다.

> 그 사이 또 고운 꽃 피고
> 그 사이 또 꽃나무들은 늙고
>
> 너는 어디까지 갈래?

　신체의 나이가 정신 연령과 일치할 때도 있긴 하지만 대체로 일치하지 않는 법이다. 정말 젊게 사는 사람들이 있다. 시인은 지금 어느 나이로 살고 있는 것일까. 어디와 어디 '사이'에 자신을 둘 것인가.

> 서쪽의 나이에서는 가랑잎 소리가 난다.
> 손으로 꼽아 보면
> 손끝이 시려 오는 저녁이 있다.
> 짚가리 냄새가 나고 검불 연기를 좋아하는 나이
> 서쪽의 나이에는 시린 등이 있다.
> 돌아앉아 있는 외면하는 방향이 있다.

서쪽의 나이를 서성이다 보면

발등이 시려 오고

환했던 겨울마다 흰 서리가 내린다.

은일자라 불리는 국화가 제철이다.

봄꽃은 놀이를 가야 제 맛이지만

방문만 열면 볼 수 있는 국화는

서쪽 나이에 이르러

가꾸기 가장 좋은 꽃

―「서쪽의 나이」 전반부

'서쪽'은 해가 지는 쪽이다. 즉 인생의 황혼녘을 뜻한다. 이 나이가 되니 손끝이 시려 오고 발등이 시려 온다. 이 나이가 되니 더욱 애틋하게 느껴지는 것들이 있다 ― 짚가리 냄새, 검불 연기, 국화 등. 가을을 더욱 절실히 느끼는 것은 조락의 계절이기 때문이다. 하지만 시는 제5연에서 급반전을 이룬다.

동쪽의 나이들이 찾아들고

북쪽 나이로 두서너 걸음 들어섰음에도

남녘 나이 이끌고 동쪽이나

서쪽의 나이로 살고 싶은 것이다

고독의 문패를 내다 거는 북쪽 나이

　　폐일언蔽一言하고

　　동서남북 네 갈래 나이를 한데 버무려 시루에 담아 푹
쪄서 절구통에 부어 놓고 떡메로 탕탕 쳐서 반질반질 예
쁘게 빨주노초파남보 무지개로 세모 네모 동그라미로 재
미있고 기쁘고 행복한 떡으로 지혜롭게 빚어서 먹고 싶
은 날

　　피안의 담장 밑에

　　국화가 시들고 있다.

－「서쪽의 나이」 후반부

　비록 몸의 나이는 서쪽이지만 마음의 나이는 예쁘고 맛
있는 떡을 해 먹고 싶다. "반질반질 예쁘게 빨주노초파남
보 무지개로 세모 네모 동그라미로 재미있고 기쁘고 행
복한 떡"을. 하지만 마음이 그럴 뿐, 몸은 피안의 담장 밑
에서 국화가 시들 듯 시들고 있음을 스스로 안타까워하
고 있다. 중요한 것은 꿈을 잃지 않는다는 것, 꿈을 소중
히 가꾼다는 것일 터이다. 그래서 시인은 종종 타임머신

을 만들어 타고 과거로 여행을 한다.

초록의 어린 학생들 사이로 나무언어 교실이 있다.
바람을 문자로 읽는 소리가 서로 엉키고 있다.

나도 나무를 가르치는 숲속 교실 하나 만들고 싶어진다.
바람을 선생님으로 모시고
칠판은 그늘에게 부탁하고
틈만 보이면 후다닥 뛰어드는 햇빛을
연필로 삼기로 한다.
계절은 필수 과목.

(중략)

혼자서도 잘하는 숲속 학생들
숲속 교실에는 방학이 없다.
한 치의 오차도 없이 찾아오는 계절학과 시간
시원한 나무언어 학원
나도 한 그루 나무가 되어 수강 신청을 하고 말았다.

－「나무언어 학원」 부분

학원 수강 신청을 했다면 대입 수험생 시절을 회상하면서 쓴 시가 아닌가 한다. 그런데 국영수를 배운 것이 아니다. 자연을 배우고 자연의 말을 배우고 자연의 이치를 배우고 계절의 변화를 배운다. 그리고 그것들을 언어로 옮기는 법을 배운다. 왜 하필 나무언어 학원일까? 나무는 바람을 불면 소리를 내기도 하지만 침묵의 언어로 세상살이의 이법을 가르쳐 주는 현인, 아니 현목이다. 성목이다. 한여름의 태풍과 한겨울의 폭설을 견디는 법을 나무는 가르쳐 준다. 가지가 꺾이기도 하고 뿌리가 뽑혀나가기도 하지만 꿋꿋이 견디는 나무가 훨씬 많다. 시인은 졸업식 날을 회상하고 있다.

교가가 울려 퍼지고
졸업생들이 흩어져 간다.
강당 옆에 서 있는 저 고목나무 백목련도
수십 번 졸업식을 반복하고 있는 중이다.
졸업생들이 받는 졸업장 대신
백목련은 올해도 못난 흉터 같은
흔적 하나만 더 늘었을 뿐이다.

(중략)

백목련 고목은 봄만 되면 굵은 팔뚝에

흰 꽃들을 가득 달아 놓는다.

수, 우, 로 가득 찬 학생들의 성적표같이,

봄 학기에만 유별나게 열심인 백목련 고목

새로 막 돋아난 여린 가지 하나가

이 봄 새 학기에 또 시작하려는 입학식에 참석하려

꼼지락거리며 준비를 하고 있는 것이다.

— 「고목나무 백목련」 제 1, 4연

해마다 다른 학생들이 졸업식장에 서서 졸업장을 받는데 강당 옆에 서 있는 고목나무인 백목련은 계속 그 자리에 서 있다. 나이테만 늘어닐 깃이다. "모범생 표창은 못 받더라도/급훈과 교훈과 훈시는 모두 기억하고 있는" 백목련을 시인은 높이 기리고 있다. 나무라서 표창장은 못 받았지만 표창을 해 주고 싶은 마음이다. 나무의 의인화는 아주 단순한 기법이지만 나무에 대한 시인의 애정과 존경심은 십분 느낄 수 있다. 학교의 역사와 함께 고목이 된 백목련은 봄 새 학기에 입학식에 참석하려고 꼼지락거리며 준비하고 있다는 결구에 미소를 머금게 된다. 시인의 나무에 대한 외경은 다른 시에서도 읽을 수 있다.

나와 친했던 두 그루의 나무가 잘렸다는 소식을 듣고
조문弔問을 다녀왔다.

가서 나무의 모양으로 설리설리 울다 왔다.
방풍의 목적으로 사귄 오랜 친구
너는 오른쪽 바람을 막았고
나는 너의 왼쪽 그늘의 씨를 받았었다.
귀찮게 계절을 묻곤 했었다
나무 두 그루를 유년으로 들고 나던 시절엔
함께 늙어가자고 했었다.

— 「나무 조문」 제 1, 2연

  어린 시절부터 알고 있던 나무 두 그루가 잘렸다는 소
식을 듣고 고향에 다녀온 적이 있었던가 보다. 방풍림으
로 심은 메타세쿼이아는 친구나 마찬가지였다. 함께 컸기
때문일 것이다. 잘린 나무 밑둥치를 보고 시인은 운다.

    나는 흔들리는 모양으로 나무의 조문을 받을 줄 알았
  다.
    허나, 오늘 너에게 조문을 와서

무릎 꿇은 모양으로 울고 간다.
온 힘으로 너를 쓰다듬으니 너
잘린 몸통 속으로 바람의 관棺이 들어 있구나.

(중략)

멀고 먼 서양 어느 작은 나라에서 최초로
우리 집에 시집온 너의 이름은 메타세쿼이아이니라.
이제는 기억으로 씨를 삼고 깊고 너른 동공에 너를 심고
흔들리는 연한 빛 바람을 넣어 주마
후생의 연聯이 꼭 사람에게만 있겠는가.
근조謹弔.

「나무 조문」 제 3, 6연

　식물의 생명도 생명이다. 식물도 숨을 쉬고 영양소를 습취해 생장하고 노화한다. 그런데 인간이 인위적으로 톱으로 잘라내 그것을 생활에 이용하기도 하고 필요가 없다고 그냥 버리기도 한다. 시인은 무릎을 꿇은 자세로 나무에 조문하는 데서 그치지 않고 자신의 동공에다 나무를 심는다. 뇌리에도 심는다.
　이제부터는 길과 시간에 대한 시인의 명상을 살펴보고

자 한다. 人生行路, 行雲流水, 人生流轉 같은 말이 왜 생겨났을까. 예로부터 사람들은 인생을 길에 비유해 왔던 것이다.

까무룩 잠들었다 문득 깨어 보면 어느새
길의 도착 지점에 와 있는 것이고
나는 그동안 빠르게 지나가는 풍경 독서를 하고 있었
던 것이다
차창 밖의 공부였다
그래도 저녁나절을 달려 돌아가야 할 길이 남아 있고
돌아가는 길 끝자락에는
아련한 남녘이 기다리고 있는 것이다
계절마다 나무가 다 다르고
꽃이 질러대는 환호성도 제각각 다 다른 소리였다
                                          ─「길의 나이」마지막 연

중국의 南柯一夢·邯鄲之夢·胡蝶之夢 등의 유래를 살펴보면, 한국의 몽유설화와 몽유소설을 읽어 보면 꿈 이야기가 자고로 많았다는 것을 알 수 있다. 지금도 우리는 흔히 인생이 일장춘몽 같다니 한바탕 꿈같은 인생이라니 하는 말을 하고 있지 않은가. 길을 가던 나그네가 잠들었다 깨어 보니 어느새 도착 지점에 와 있었다. 하지만 다행히도 "저녁나절을 달려 돌아가야 할 길이 남아" 있었다. "돌아가는 길 끝자락에는/아련한 남녘이 기다리고" 있었고. 이 시에서도 반전이 이뤄지는데, 살아 보니 계절마다 나무는 다 (모습이) 달랐다. "꽃이 질러대는 환호성도 제각각 다 다른 소리"였다. 세상에 꽃과 나무의 종류가 얼마나 많은가. 봄, 여름, 가을에 꽃은 또 모습이 얼마나 많이 바뀌는지. 길에서의 명상이 종종 시가 된다.

간댓집 할머니께 세배하러 가던 길의 즐거움은 번들거리는 골목길에서 뒤뚱뒤뚱 참 즐거웠었지. 돌고 도는 골목길이 어찌나 재미있던지 양단 치마 바스락거리는 소리가 빙판 골목길에 쫙 깔리고 시간이 느리게 가기를 학수고대하던 세배길.

－「짧은 길」 제 5연

길은 사람이 만든 줄기이고
내 속의 길은 다름 아닌
사람의 오고 떠난 흔적이어서
그 길에 첫발을 들여놓고
사라진 것들의 방향 물어보았으나

따라오다가 뒤돌아가 버린

그 예쁜 길 알 수 없다고 한다.

– 「길」 제1연

　앞의 시에서는 아주 어린 시절, 할머니께 세배하러 가던 길의 추억담을 펼쳐 놓고 있다. 김기리 소녀의 설레는 마음과 즐거운 기분이 잘 느껴진다. 그런 짧은 길이 모이고 모여 인생길이 되었다. "내 속의 길은 다름 아닌/사람의 오고 떠난 흔적"이라니 길에 대한 정의가 재미있다. 관계의 길, 경험의 길, 연륜의 길에 발을 들여놓고 팔십오 년을 살았는데 어느 날 사람들에게(혹은 나 자신에게) "사라진 것들의 방향 물어보았으나/따라오다가 뒤돌아가 버린/그 예쁜 길"을 알 수 없다고 하더라나. 자, 어떻게 할 것인가. 또다시 일어나 길을 떠날 수밖에 없는 것이다. 길은 시간과 사람이 함께 만드는 것이다. 이제 시간에 대한 시인의 생각을 들어보도록 하자.

처음, 너의 얼굴을 볼 수 없었고

나는 울렁거렸고 배는 만삭이 되었다.

너의 얼굴을 본 날은 오래 기다린 날이었다.

당당하고 옹골차게 고고의 울음을 터뜨린 너였고

양수 속에 떠 있을 때의 행동들을

배냇짓이라는 이름으로 하나하나 다 보여주었던 너

였다.

내 간장은 오그라들듯

네 앙증스런 모습에 빨려들었고

만지기도 아까운 고 작은 팔다리로

얼굴에 핏대가 오르도록 힘을 배울 때

눈에 넣어도 아프지 않을 너였다.

–「기다리는 시간은 아직 어리고」 제 1연

신생아가 탄생하는 장면이다. 산모와 새 생명과 의사가 혼연일체로 합심해야지 새로운 시간의 탄생이 가능하다. 시인은 아기를 낳던 날을 회상하고 있는데, 시간과 아기가 동일시되고 있다. 시간은 아직 어리고, 아기는 무럭무럭 자란다. 자식을 키우는 과정이 시의 제 2, 3, 4연을 이루는데 건너뛰고 마지막 연을 보자.

오직 홀로인 채로 빙빙 빨려 들어가는 미궁,

지금도 기다리는 시간은 어려서

약속한 시간은 두근대며 뒤뚱거리고 있구나.

대문 빗장을 풀어놓고 마지막으로 만나는 어린 나이

의 너와 나

이렇듯 평생을 기다린 나는

어디쯤에서 놀고 있을 아주 어린 너를

어렴풋한 시간을 잡고 기다리고 있는 것이다.

─「기다리는 시간은 아직 어리고」 제 5연

아이는 무럭무럭 자라서 걸음마를 하고 재롱을 부리고 이윽고 취학 연령이 되어 학교에 간다. 그런데 시인이 느끼는 것은 좀 다르다. "지금도 기다리는 시간은 어려서/ 약속한 시간은 두근대며 뒤뚱거리고" 있다고 한다. 화자는 아이를 평생 기다린 것이다. 즉, "어디쯤에서 놀고 있는 아주 어린 너"와 더불어 "어렴풋한 시간을 잡고 기다리고 있는" 행위를 평생 하고 있었던 것이다. 아이도 시간도 내게는 여전히 어리기만 한데 내 나이는 어언…….나이를 세지 않을 수 없다. 다른 이들이 다 세고 있는 숫자, 나만 모르는(역설이다, 모를 턱이 없다) 나의 숫자, 85.

세상에는 내가 셀 수 없는 숫자가 있다.

죽음의 나이와 내 몸속 뼈의 숫자

오래된 화석을 보면 그것처럼 선명한 숫자도 없다.

내가 끝내 세지 못하고
다른 이들은 다 셀 수 있는 숫자
그것은 나만 모르는 내 숫자다.

우리 집에는 숫자의 화석이 아주 많다.
어느 고생대보다도 많은 숫자의 화석이 대대로 앉아
있다.
그래서 한 집안의 족보란
화석 도감이라고나 할까
가끔은 그 화석 도감을 펼쳐 놓고
거기 한 귀퉁이 내 나이도
언젠가는 등재가 될 것이라고 짚어보는 곳 있다.

-「숫자의 화석」 전반부

뼈대 있는 집안의 자랑거리인 족보는 시인의 표현을 빌리자면 "화석 도감"이다. 즉, 탄생의 기록이라기보다는 죽음의 기록이다. 사람은 언제, 어떻게 죽었는지가 중요한 것이다. 거기 한 귀퉁이에 "내 나이도/언젠가는 등재가 될 것이라고 짚어보는 곳 있다"고 한다. 죽음에 대한 예감이라고 할까, 여든이 넘었다면 남은 날을 손꼽아 보게 되는 것이 인지상정이다. 시조모의 임종 장면이 떠오

르면 자신의 임종 장면을 상상하게 된다.

오래된 기억 한 개 뜬다.

방 가운데 시조모님께서 천장을 보시고 반듯이 누워 계셨다. 열린 들창문으로 들어온 햇살 망자의 손목에서 맥을 잡고 있었다. 마지막 들이마신 숨을 얼굴을 여러 바퀴 돌아도 끝내 내뿜지 않았다.

훗날 나만 모르는 내 나이의 화석,
내 뼈마디가 화석 도감에 등재될 것이라는 사실 앞에
나는 서 있었던 것이다.

－「숫자의 화석」 후반부

오래된 영정影幀들은 마음 벽에 걸린다는데
어쩌자고, 누구의 슬픔에 걸리자고, 영정사진을 찍었네.
어디서 자주 본 듯한 얼굴로 사진이 나오고
사진틀에 담긴 낯선 여인을 데려다 문갑 위에 앉혀 놓았네.
가장 고요한 표정만 데리고 앉아 있는 여인.

－「영정」 제 1연

임종의 순간은 모든 생명체에게 반드시 찾아올 것이다. 죽음을 누가 거부할 수 있으랴. 죽어야지 인간이다. 안 죽으면 신인 것이다. 화자는 끝내 사라지고, 누군가의 기억 속에서 존재할 것이다. 화자의 기억 속에 시조모가 숨을 멈추는 순간이 선명히 새겨져 있듯이. 지난 일들 생각을 해 보면 회한이 없지 않을 것이다. "머리가 희끗한 회한을 본다"(「그 여자전傳」)고 했을 때 대상을 '그 여자'로 하긴 했지만 "하루에도 수십 차례/시도 때도 없이 밥상을 편찬"하고 "반찬의 목록을 수집 도감한" 자신에 대한 이야기가 아닌가 싶다. 하루에 밥을 도대체 몇 번이나 차렸을까. 시인은 지난 세월, 산전수전도 겪었을 것이고 평지풍파도 당했을 것이다. 과거지사를 떠올려 보니 순풍에 돛단 것 같지 않았고 폭풍전야에, 산더미 같은 파도에, 난파에……. 이제는 한겨울의 저녁나절이다.

들썩이는 세월이 졸아드는 소리, 주전자 뚜껑 딸깍대는 초침 소리 싸락싸락 알싸한 그리움들이 번져 나는 한겨울의 저녁나절이다

— 「보리차 끓는 시간」 마지막 연

이 시간대는 바로 자기 자신의 인생의 시간을 가리키는 것이 아닐까. 마음이 급하다. 100세 시대라고 하지만 남은 날이 넉넉하다고 장담할 수 있을까. 놀랍게도 기억력은 조금도 희미해지지 않고 옛날 일이 어제 일인 양 생생하다. 최근의 일은 기억에서 금방 사라져 버리는데 희한하게도, 옛날 일들은 또렷하게 기억난다.

> 담장 밖 아이들의 소리를 가득 묻혀 들어오고
> 뒤이어 뒷짐 진 출타가 들어오던 저녁
> 부엌에선 세간들이 바빴다
> 그릇들마다엔 늘 담기던 음식이 정해져 있었다
> 발 씻은 물이 뒷마당에 휙 뿌려지고
> 몇 개의 저녁상이 차려지던 왁자한 집
>
> – 「두꺼비가 들어오는 저녁」 부분

대체로 농사를 짓는 집에서는 일손이 필요했다. 산아제한도 할 수 없는 시대였으니 대식구였다. 그런 집에서 살았던 날들에 대한 추억과 이웃집 몇몇 집에 대한 추억은 이 시 외에도 「종부」, 「편린」, 「오래 묵은 일기장엔 아직, 네가 살고」, 「침모 영철이 할머니」, 「나는 고향이다」 등 여러 편의 시에서 전개된다. 이들 시편에 대한 감상은 독자의 몫으로 돌리기로 하고 이제 한 편만 더 읽어 보기로 한다.

　　스러질까 찢어질까 무작정 끌어안고

　　다람쥐 쳇바퀴 돌리듯

　　오늘도 또 그렇게 하루가

　　어질어질 가 버리더라는 것이지.

―「종이 한 장」 끝부분

　자신의 마음이 종이 한 장처럼 가볍다고 한탄하고 있
다. 종이는 금방 구겨지고 쉽게 찢어진다. 하지만 어쩌
랴, 종이 한 장이 내 영혼의 텃밭인 것을. 또 쓰고 또 고
친다. 시인이 시를 안 쓰면 무위도식한다고 생각하고 있
는 시인이다. 종이에 글을 쓸 힘이 있는 한 시를 쓰고 싶
다는 소망의 다른 표현이 이 시가 아닌가 한다. 스러질까
찢어질까 무작정 끌어안는다고 한다. 하루가 또 어질어질
가 버릴 테지만 시를 쓰고 있기에 영원히 사는 존재, 바
로 시인이다. 김기리 시인. 제4시집은 불교문예 출판부에
서, 제5시집은 문학들 출판사에서 함께 나온다는 이야기
를 들었다. 시인의 치열한 삶 앞에서 부끄러워 그저 고개
를 푹 수그릴 따름이다.

김기리

1937년 전남 구례에서 태어났다. 조선대 교육대학원 교육행정학과와 광주대 대학원 문예창작학과를 졸업했고, 단국대 대학원 문예창작학과에서 문학박사 학위를 받았다. 2003년 『아동문예』에 동시, 2004년 『불교문예』에 시가 당선되어 등단했다. 시집으로 『오래된 우물』, 『내 안의 바람』, 『나무 사원』, 『달을 굽다』, 『기다리는 시간은 아직 어리고』가 있고, 동시집으로 『보름달 된 주머니』, 『웃음보 터진 구구단』이 있다. 2016·2021년 광주문화재단 지역문화예술특성화지원사업, 2021년 한국장애인문화예술원 창작활성화지원사업에 선정되었다. 제12회 광주·전남아동문학인상, 제34회 한국불교아동문학상을 수상했다.

기다리는 시간은 아직 어리고

초판1쇄 찍은 날 | 2021년 11월 17일
초판1쇄 펴낸 날 | 2021년 11월 29일

지은이 | 김기리
펴낸이 | 송광룡
펴낸곳 | 문학들
등록 | 2005년 8월 24일 제2005 1−2호
주소 | 61489 광주광역시 동구 천변우로 487(학동) 2층
전화 | 062-651-6968
팩스 | 062-651-9690
전자우편 | munhakdle@hanmail.net
블로그 | blog.naver.com/munhakdlesimmian

ⓒ 김기리 2021
ISBN 979−11−91277−26−5 03810